Traduction française
Diane Meirlaen
© 2004 Editions Mijade
16-18, rue de l'Ouvrage
B-5000 Namur

Titre original : Lekker zwemmen
© 2004 Uitgeverij Clavis
Amsterdam – Hasselt

ISBN 2-87142-465-9
D/2005/3712/02

Imprimé en Chine

Kathleen Amant

Vive la piscine !

Petit train

Lise va à la piscine avec maman.
Lise porte son sac elle-même, bien sûr!

Elles choisissent une cabine.
C'est là qu'on se déshabille
et qu'on enfile son maillot.

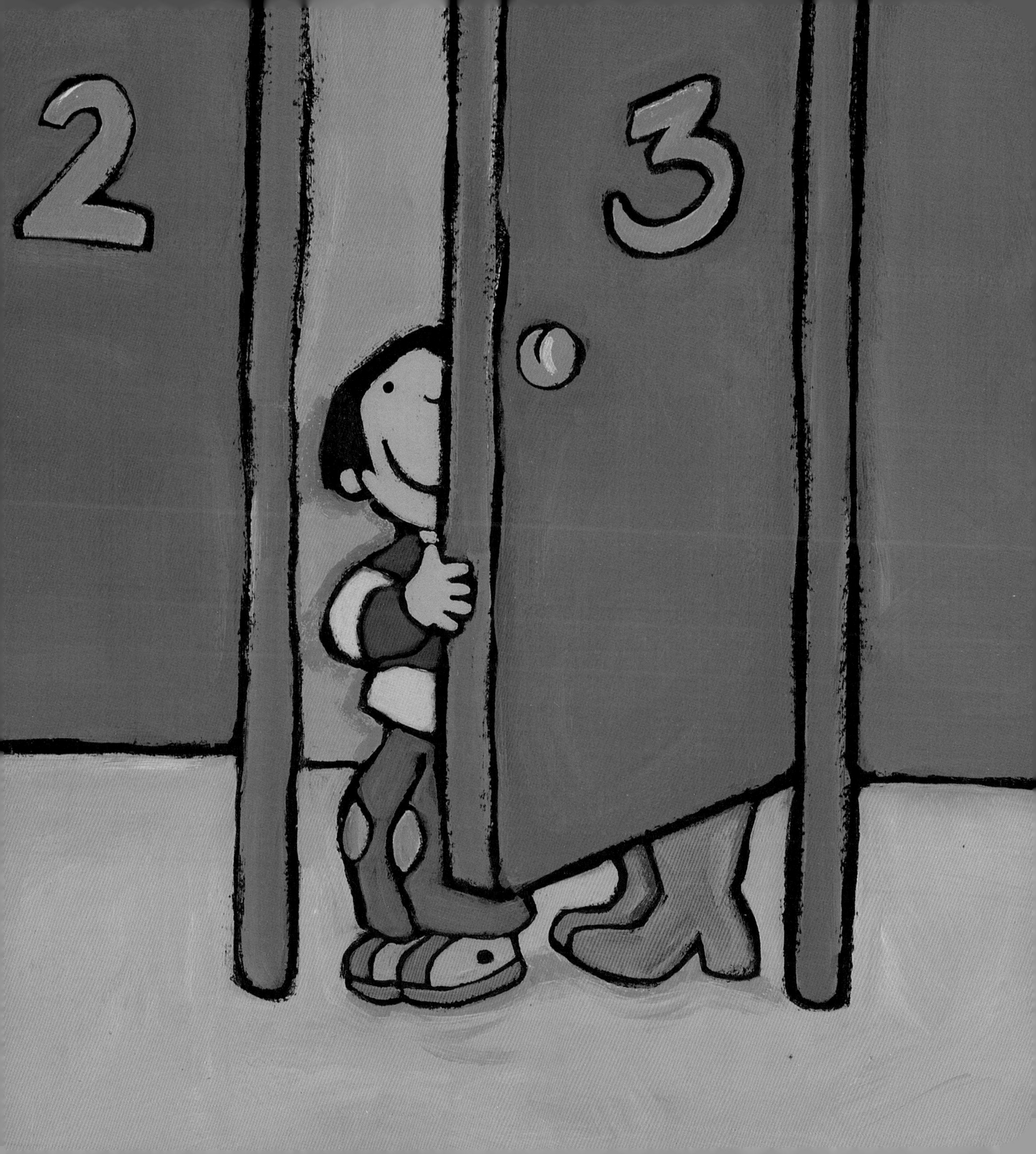
2
3

Maman met un bonnet de bain à Lise.
Lise porte aussi des bouées.
C'est agréable de se laisser flotter!

Lise regarde dans la cabine voisine
par en dessous.
Elle voit deux grands pieds nus tout mouillés.
Ces pieds ont déjà nagé aujourd'hui!

« Viens, Lise », dit maman, « allons dans l'eau ! »
D'abord, il faut passer sous la douche.
Brrr, l'eau est un peu froide.
Lise reçoit des éclaboussures sur la tête.
Elle garde les yeux bien fermés.

Il y a beaucoup de bruit
au bord des bassins.
Lise a peur.
Un petit peu.
Juste un petit peu.

Dans le petit bassin, il y a un éléphant rose.
Il lance de l'eau avec sa trompe.
Lise se met en dessous
pour recevoir des éclaboussures.

Il y a aussi un toboggan.
C'est vraiment rigolo de patauger dans l'eau !

« Viens Lise, allons dans le grand bassin »,
dit maman.
Maman saute dans l'eau.
L'eau éclabousse très haut.

« Moi aussi, je peux faire ça », se dit Lise.
Elle saute dans les bras de maman.
L'eau lui chatouille un peu le ventre.

Il y a aussi des grands dans le bassin.
Ils plongent tout près de Lise.
Elle ferme vite les yeux.

Après, maman et Lise jouent au petit bateau.
C'est encore plus amusant
dans le grand bassin !
Maman tient Lise par les mains.
Lise n'a pas peur du tout.
En plus, elle a ses bouées.

Maintenant, il est l'heure de rentrer.
Lise aimerait bien rester encore un peu.
« On reviendra la semaine prochaine »,
promet maman.